LE REDOUBLANT

L'auteur

Claire Mazard, née en 1957, a passé son enfance
et son adolescence à Montpellier. Bibliothécaire puis
documentaliste, elle vit aujourd'hui à Paris

L'illustrateur

Christophe Rouil a illustré de nombreux livres pour enfants.
Il travaille également dans la presse et se consacre
parallèlement à la peinture.

Claire MAZARD

Le redoublant

Illustrations de
Christophe Rouil

NATHAN

Loi n° 49-956 du 16 juillet 1949 sur les publications destinées
à la jeunesse : janvier 1998.

© 1992, éditions Nathan.
© 1998, éditions Pocket Jeunesse, Paris, pour la présente édition.

ISBN 2-266-09288-X

À Coco, petit souricureuil

— Et toi, ta mère, elle fait quoi ?

Dans le brouhaha de la récréation, ma voix retentit, presque agressive. J'ai élevé volontairement le ton pour le forcer à répondre.

Son regard se pose sur moi. Un regard dans lequel je n'existe absolument pas, puis il détourne la tête.

Je hausse les épaules. Rester muet quand on l'aborde, fuir les jeux, les discussions, s'isoler dans son coin, le redoublant, c'est dans ses habitudes.

Je soupire. Après tout, si ça lui chante ! ...

Chante, façon de parler, parce qu'il n'est pas bien gai. Depuis trois mois que nous sommes dans la même classe, je ne l'ai jamais — JAMAIS — vu sourire, encore moins éclater de rire. Monsieur nous snobe, Monsieur nous croit pestiférés, Monsieur joue au solitaire. Drôle de caractère ! À quoi peut-il penser, emprisonné dans son silence ? Vu sa tête, pas à des réjouissances. Avec ses airs d'endurer les malheurs de la terre entière, il m'agace ! Il M'HORRIPILE !

— La vie est belle, non ? ai-je envie de lui crier parfois.

Je n'ai jamais rencontré de garçon aussi secret, et, je dois l'avouer, il m'intrigue un peu. Sans sa mine morose, il serait d'ailleurs plutôt rigolo. D'autant plus qu'il a une bonne bouille : des cheveux couleur châtaigne — grillée, c'est bien plus joli — et de grands yeux sombres en amande, aux longs cils, qui seraient si doux s'ils n'étaient aussi chagrins. Un lac de tristesse, ses yeux ! Si tu y plonges, tu t'y noies.

Il s'appelle Sylvestre, mais pour nous, c'est « le redoublant ». Car nous ne savons rien de lui, sinon qu'il redouble sa sixième et habite la région parisienne depuis la rentrée scolaire. Avant, il vivait à Nancy. Il n'a pas de père mais un beau-père, le père de sa petite sœur. À mon avis, avec nous, il s'ennuie.

Je le dévisage avec insistance.

— Laisse-le tranquille, Romain, me chuchote Flore.

Eh bien, non, aujourd'hui, je ne le laisserai pas tranquille. Aujourd'hui, je n'ai pas envie d'être compréhensif. Aujourd'hui, je VEUX entendre le son de sa voix.

— On ne va pas se farcir cette mine de chien battu toute l'année, non ?

Je m'énerve.

— Il est là, toujours à nous observer. Je l'ai bien vu, depuis dix minutes, il écoute tout ce qu'on dit.

Notre conversation du jour : les parents. Nous avons beau mener notre vie de grands, les parents restent notre souci numéro un. Cédric, qui a des « blèmes », comme il dit, avec les siens — surtout pour l'argent de poche — a, une fois de plus, relancé le débat.

Alors, le redoublant saurait que mon père est dresseur de puces (traduire : informaticien), ma mère, infirmière..., et moi, je ne saurais rien de lui. Il n'y a pas de raison. Je ne suis pas d'accord. Donc, je réattaque. Je m'avance, suivi de la bande : Flore, Cédric, Nora. Nous l'encerclons. Instinctivement, il recule. Le voilà coincé entre deux murs. Celui du collège, en pierre, et le nôtre. Le plus terrible. Je prends ma voix de dur.

— Je te parle, t'entends pas ? Elle fait quoi, ta mère ?

Nos regards s'entrechoquent.

Dans le sien, sur la défensive, un défi. Dans le mien, menaçant, la volonté de le faire fléchir. Nos regards, on dirait deux épées.

Soudain, il lance :

— Ma mère, c'est la plus gentille.

La réponse me déroute mais je reprends vite le dessus.

— La plus gentille, ce n'est pas un métier.

Autour de moi, les copains pouffent de rire. J'en rajoute pour les épater.

— La plus gentille ? Alors pourquoi traînes-tu toujours une mine de six mètres de long ? La plus gentille maman n'a pas donné son choco BN à son bébé, ce matin, sa barre de Mars à son chouchou ?...

Nouveaux éclats de rire.

— Elle a oublié le Kiri de son petit chéri en culottes courtes ?...

Là, je reconnais, c'est très méchant. Le redoublant a beau être petit, son jean est vraiment trop court. Au moins trois tailles en dessous. C'est le jean de l'année dernière ou même de l'année d'avant. Poil de Carotte nouvelle version, voilà le redoublant.

Il est écarlate et nous... hilares.

Son menton, de rage, tremblote. Il va éclater, s'exprimer, enfin !

Non. Il avale sa salive et attend.

La sonnerie. Fin de la récréation.

— T'as d'la chance...

À peine ai-je fini ma phrase, le voilà qui fonce sur moi, me bouscule d'un violent coup de coude dans l'estomac, et s'enfuit.

Sous le choc, j'ai du mal à rester droit. Je ne le montre pas aux copains, mais la douleur me coupe la respiration.

Ça, Redoublant, tu me le paieras !

*

En rentrant chez moi, je bous de colère. Je rumine, vexé. Comment a-t-il osé ? Je bous de colère contre lui. Contre moi aussi.

Au fond, je le sens bien, j'ai poussé le bouchon un peu loin avec mes sarcasmes.

« La plus gentille », quelle réponse aussi !

La plus gentille, d'abord, impossible ! Car la plus gentille de toutes les mères, elle est là, devant moi, qui m'ouvre la porte : c'est Chantal, la mienne. La maison sent bon son parfum citronné. Mes baisers se perdent dans son cou. Elle me tapote la joue.

— Ça va, Loumpi ?

Je balance mon cartable sur le divan.

— Guillaume n'est pas encore arrivé ?

— Il a judo, ce soir, tu sais bien. Filou passe le prendre.

Je souris. Ce que j'aime bien avec elle, pour parler de mon père, elle ne dit pas : ton père, papa, ton papa... mais Philippe, tout simplement. Parfois, Filou, petit surnom qu'elle lui donne, lui échappe. Alors, je suis aux anges. Filou, c'est signe de beau temps entre nous. Moi aussi, parfois, je leur dis Chantal et Philippe. Elle m'appelle Loumpi, et Guillaume, Bébé Chat, ce qui, selon son humeur, le fait se hérisser ou ronronner dans un câlin. Yeux rieurs, joie de vivre... Bébé Chat ressemble à Filou. J'ai hérité, pour ma part, de Chantal : yeux noisette, cheveux bruns, vivacité. (Chez moi, paraît-il, cela serait plutôt de la nervosité.)

Nous sommes tous les deux, en tête à tête. Chouette ! J'aime me retrouver seul avec elle. Je lui confie tout. Enfin, presque tout. Ce soir, avant que Guillaume n'arrive et n'accapare toute la conversation — quel débit pour quatre ans ! —, j'ai envie de lui raconter le redoublant. Je fais cependant l'impasse totale sur mes moqueries. Avec elle, inutile de frimer, de jouer au dur. Elle me préfère, selon son expression, « au naturel ». Sans épices, sans mots au vinaigre, sans moutarde qui monte au nez. D'ailleurs, en sa présence, ma colère s'évanouit aussitôt.

— La plus gentille, oui, drôle de réponse, et drôle de métier, me concède-t-elle dans un sourire.

Ah ! Elle m'approuve. Il est un peu bizarre !

— Mais tu n'aurais pas dû te moquer de lui, Loumpi.

Je rougis jusqu'aux oreilles.

— Si tu veux qu'il devienne ton ami, il y a des moyens moins agressifs pour l'inviter dans vos conversations, tu ne crois pas ?

Je fais semblant de ne pas comprendre.

Je préfère zapper sur un autre sujet de conversation.

Ma mère m'énerve à la fin. Des moyens moins agressifs ! Elle ne connaît pas le redoublant ! Un vrai bernard-l'ermite ! À peine tu l'approches, il se recroqueville dans sa coquille. Et puis, si elle s'imagine que j'ai envie de devenir son ami. Amadouer un bernard-l'ermite qui vous balance de toutes ses forces son coude dans l'estomac, merci bien !

Elle a raison, il existe d'autres moyens. Avec le redoublant, je le sens, rien ne sera facile.

*

Cours de français. La prof, Véronique Péridier, nous rend la dernière rédaction. Sujet : « Inventez-vous un ami pas comme les autres. » Genre de sujet qui ne m'inspire absolument pas. Pour moi, les amis ne s'inventent pas et l'amitié se résume toujours ainsi : piquer ensemble des fous rires. À court d'inspiration, j'ai concocté un mélange. Une pincée de Cédric : bonne humeur, malice ; un zeste de Nora : ténacité, gentillesse ; et une grande dose de Flore (Flore, je ne l'aime pas, je la préfère) : cheveux couleur omelette dorée à point, yeux bleus myopes derrière des lunettes rondes à pois roses et, surtout, une vraie bille de clown.

Cela donne un cocktail spécial. Cela donne un ... 8 sur 20.

— Je crois, Romain, avoir reconnu dans ton devoir certains de tes camarades.

Sourires des copains.

— Malheureusement, tu n'inventes pas. Tout à fait hors sujet.

Derrière les lunettes à pois roses, un clin d'œil me console.

— La meilleure rédaction est celle de Sylvestre.

Tout le monde se tourne vers le redoublant.

— Tu fais beaucoup de fautes, Sylvestre, dommage, car ton devoir est très joli.

Elle insiste bien sur le « très » et ajoute :
— Tu es un vrai poète.

Nous ne sommes pas surpris. Ce n'est pas la première fois qu'elle le dit.

Du coin de l'œil, je surveille... « le petit poète ». D'énormes cernes bleutés assombrissent ses yeux bruns. Une étincelle dans son regard : le compliment lui plaît. Véronique Péridier lui ébouriffe les cheveux. Je n'ai jamais compris pourquoi elle, si dynamique, appréciait Sylvestre, empli de tristesse. Elle lit quelques passages. Je n'y comprends pas grand-chose, mais c'est vrai, c'est très joli. Il est question de noisettes, de moustaches, de trapèze dans un cirque, d'un rayon de soleil spécial, sur lequel on fait de l'équilibre : le rayon de soleil de l'amitié, confortable et douillet. Drôle d'ami ! De ses petites oreilles, il écoute les confidences, puis les saupoudre de cristaux d'arc-en-ciel.

Tous nous écoutons. Une vraie musique, les mots du redoublant.

Depuis notre altercation d'hier, je le regarde autrement. Je n'oublie pas son coup dans l'estomac. Ni le défi de son regard. Face à nous quatre, il a eu sacrément du cran. Je ne peux m'empêcher de lui esquisser un sourire timide. Il ne me le rend pas. Il m'en veut, forcément.

— Hier, nous avons eu tort de nous moquer de lui, me souffle Flore à la fin du cours.

À ses côtés, Cédric et Nora. Les bras croisés. Debout. En juges. Ils étaient bien les premiers à rire... Leur regard me pèse.

— Bon, bon, ça va...

Cette histoire, maintenant, me met de mauvaise humeur. De très mauvaise humeur. Pour garder la face, je déclare :

— Je vais lui parler.

Lui parler ? M'excuser ? Pourquoi pas, mais lui aussi dans ce cas.

Il est emprisonné dans son mutisme. Ma décision est prise. Qu'il le veuille ou non, je le forcerai à sortir de sa coquille.

*

Dans le vestiaire du gymnase : rires, bousculades, chutes de chaussures sur le carrelage. Je me faufile. De près, ses cernes paraissent plus grands encore. Que fait-il donc de ses nuits pour avoir un visage aussi fatigué ?

Je mets mon short. Il sent bien que je l'observe. Rapide, il ôte jean, chemise, enfile son survêt. Le survêt est enfilé, mais j'ai VU. De mes yeux, vu. Et, ce que j'ai vu, je n'arrive pas à le croire. Il lève les yeux, m'aperçoit, s'agenouille aussitôt pour lacer ses tennis. Il sait que j'ai vu. Je ne dis rien.

Je rejoins les autres. J'ai du mal à entrer dans le match de volley.

À la sortie, je me débrouille pour être près de lui. Nous sommes côte à côte, en silence. Il marche vite, mais je soutiens son rythme.

Je ne sais comment amorcer la discussion.

— Bravo pour ta rédac. Elle est vraiment chouette.

Il me regarde, méfiant, incrédule. Dans son regard, en ce moment, j'existe. J'existe même un peu trop à son goût. Il aurait bien envie de me filer un coup de pied ! Pas facile d'aborder le problème. Je mc lance à l'eau.

Tout doucement, je demande :

— Qu'est-ce que c'est, les marques sur tes bras ?

Il se tourne brusquement.

— Quelles marques ?

Son ton est agressif.

— Fais pas l'imbécile, j'ai vu.

Il continue d'avancer. Son envie de m'envoyer un coup de pied, il a de plus en plus de mal à la retenir.

J'insiste.

— J'ai vu, sur tes bras.

Ce que j'ai vu sur ses bras, ce à quoi je ne cesse de penser depuis le gymnase, ce

sont... deux énormes bleus. Des bleus plutôt rouges, violacés, presque noirs. Il a dû avoir drôlement mal.

Il ne cille pas. Je n'abandonnerai pas. Il le sent.

— J'suis tombé dans les escaliers, hier soir.

Il s'arrête devant un immeuble, pousse la porte d'entrée. Tiens, il habite tout près de chez moi.

Son regard me fusille.

— D'abord, t'es qu'un nul, je ne t'aime pas et je veux qu'on me laisse en paix ! crie-t-il.

La porte me claque au nez. Son bruit résonne en moi comme une gifle.

*

Depuis trois jours, il m'évite. Comment l'aborder à nouveau ?

« T'es qu'un nul, je ne t'aime pas... » Ces paroles m'obsèdent. Je me refuse à croire qu'il les pense vraiment. Je suis un peu triste.

*

Aujourd'hui, en plus des cernes, un pansement barre son front. Il ne va tout de même pas prétexter une nouvelle chute dans l'escalier.

Il sait que je le guette, que je meurs d'envie de l'interroger. Justement, aujourd'hui, je m'en garde bien. Soudain, planté devant moi, il m'affronte ; devant mon silence, il se lance dans de confuses explications.

— Hier, c'était mon anniversaire. À la maison, on m'a offert de super-cadeaux. Ma mère, exprès pour moi, a confectionné un énorme gâteau. J'étais tellement content... Sans le vouloir, je me suis cogné contre le placard.

Ses grands yeux sombres — dans lesquels j'ai décidé de plonger, quitte à me noyer — mentent. C'est certain. Je ne dis rien.

Il faut faire quelque chose.

*

Je me tourne, me retourne dans mon lit.

J'en ai entendu parler. La question me hante. Si c'était cela... Non, ce n'est pas possible. Pourtant, comment expliquer autre-

ment ses cernes, ses bleus, sa tristesse ?...
Et, j'y songe tout à coup, pourquoi ne vient-il jamais à la piscine en cours d'éducation physique ? L'angoisse m'envahit. Je comprends : il ne vient jamais à la piscine parce qu'il ne peut pas, ne DOIT pas être vu... en maillot.

J'ai du mal à m'endormir.

*

Impossible de l'approcher. Il ne m'évite pas, il me fuit. À présent, je sais : j'aimerais qu'il devienne mon ami, devenir le sien. Nous serions des amis pas comme les autres. Vu son attitude, c'est raté. Plus jamais il ne me permettra de lui parler.

— Pour l'exposé à faire au C.D.I., vous vous mettrez par deux, annonce Véronique Péridier.

Elle forme les duos :

— Flore avec Nora, Étienne avec Lisa, Romain avec... Sylvestre.

Je sursaute. C'est inespéré. Mon œil pétille. Sylvestre est loin d'être ravi, mais il ne peut rien dire : bien forcé de travailler avec moi.

24

Nous nous installons dans un coin du C.D.I. Curieux hasard : à côté du rayonnage « Poésie ».

Je lui tends la main.

— On oublie tout ce que je t'ai dit.

Il hésite. Étant donné que nous devons faire l'exposé ensemble, il se décide à me tendre la sienne.

— Bon, d'accord. Mais plus jamais tu ne me poses ce genre de questions. Et tu n'en parles à personne, à personne, tu entends. Jure-le.

— Je le jure.

Un exposé sur la paix, rien de tel pour faire connaissance, pour se réconcilier. À croire que la prof l'a fait exprès.

Il n'est pas très liant, mais un peu plus que d'habitude. Son pansement a disparu. À la place, je découvre une sacrée blessure badigeonnée de mercurochrome. Je fais comme si je ne la voyais pas.

— L'autre jour, tu sais, à la récréation, j'avais juste envie que tu viennes discuter avec nous.

Ça y est. C'est dit. Cela me pesait depuis trop longtemps. L'autre jour, les moqueries, le Kiri en culottes courtes... il y a une semaine à peine. J'ai l'impression qu'une éternité s'est écoulée. Pourtant, tout est allé si vite, je me sens si proche de lui maintenant.

Il fait semblant de ne pas entendre mais, je le parierais, je lui ai fait plaisir.

Promis, petit poète, je ne t'ennuierai plus avec mes questions. Mais je vais tout faire pour te défendre, t'apprivoiser.

Nous apprenons à nous connaître. Avec moi, il se détend un peu. Avec Cédric, Flore et Nora, aussi. Aux récréations, il se joint à nous. Mais il garde son air triste. En gym, je l'épie quand il se déshabille. Ses marques, au lieu de disparaître, s'accentuent. Je suis le seul à les voir, le seul à savoir. Ce secret m'étouffe.

Le soir, je le raccompagne, parfois.

Aujourd'hui, à mon grand étonnement, il me raconte sa sœur, Laetitia, cinq ans, blonde aux yeux verts. Tout son contraire. Forcément, elle ressemble à son père, le beau-père de Sylvestre. Lui, paraît-il, est le portrait craché du sien. J'hésite, puis, finalement, je lui demande.

Il me répond, m'explique que son père est parti alors qu'il était bébé. Il ne l'a pas connu, ne sait rien de lui. Sa mère ne lui en parle jamais.

Je pense à Filou, à nos fous rires. Ne pas connaître son père... Tout le malheur de Sylvestre vient de là, je le comprends bien.

Son beau-père, je le déteste.

*

Ma mère s'assoit au bord de mon lit.

— Quelque chose te préoccupe, Loumpi ?

J'avale ma salive. J'aime son visage penché sur le mien, son regard, soucieux pour moi. Avec elle, je le sens, je vais craquer, Sylvestre. Je vais dévoiler ton secret. Trop lourd pour moi ! Et puis, tout cela arrive à cause d'un adulte. Ils n'ont qu'à le résoudre entre eux. Un sentiment de dégoût m'envahit. Je dois parler, je serais coupable de me taire. Il est des secrets qu'il faut dénoncer. Je sais, j'ai juré. Mais je ne suis pas un judas, je ne te trahis pas. Au fond de moi, un petit espoir, pâle, faible : ma mère va rire, me dire que c'est impossible, que j'ai trop d'imagination. Parce que les parents, c'est fait pour réconforter, rassurer.

Je revois ton visage, et... les mots, soudain, se bousculent. Je révèle tout. Ta tristesse, tes bleus, tes cernes, mes craintes...

Elle m'écoute très fort, très grave, m'enroule autour de son cou. C'est douillet. Je suis bien.

— Cela arrive, Loumpi.

L'angoisse me glace le dos. Le monde s'écroule. À onze ans, bien sûr, on n'est pas dupes. Les adultes ne sont pas toujours chouettes, on s'en doute bien. Mais se l'entendre confirmer par sa mère... Je me sens impuissant devant une montagne insurmontable.

— Pourquoi ? Pourquoi ? Pourquoi ?

Je hurle presque.

C'est injuste, INJUSTE, INJUSTE.

Un océan de révolte, aux vagues d'injustice, déferle sur moi, m'écrase, m'engloutit.

— On ne peut pas laisser faire, faut le protéger.

— J'irai voir le principal, demain.

— Sylvestre m'a fait jurer... Il va m'en vouloir.

— Ne t'inquiète pas, je ne parlerai pas de toi. Tu as bien fait, ajoute-t-elle. Il faut lui venir en aide. Les droits des enfants, cela existe, et la situation n'est peut-être pas aussi noire que tu le crois.

Elle veut me rassurer, mais sa voix est sans conviction.

Ne m'en veux pas, Sylvestre.

*

Je n'ai pas bien dormi mais je me sens mieux. J'ai le cœur plus léger pour aller au collège, ce matin. Chantal, ce soir, passera me prendre pour parler au principal. Après, je compte bien lui présenter Sylvestre.

Sa place est vide !

— Sylvestre n'est pas là ?

Flore me fait non de la tête.

Je m'assois. Je ne me sens pas bien, tout à coup. Mon cœur bat la chamade.

— Sylvestre n'est pas là, aujourd'hui ? demande presque en écho Véronique Péridier.

Elle m'interroge du regard. Non, il n'est pas là !

J'ai beau me tourner, me retourner, la place reste vide. Un doute affreux paralyse mon cœur. Des images horribles explosent dans ma tête. Je deviens fou.

Un petit espoir : il est peut-être seulement en retard.

Mon anxiété ne cesse de grandir.

Au cours suivant : toujours pas de Sylvestre.

Dix heures. La récré. Je cours chez le conseiller. Tant pis si je suis reçu comme un chien dans un jeu de quilles. Dans le couloir, je bouscule Marianne Gasc, l'assistante sociale. Je ne la connais pas, je sais son nom par la plaque à l'entrée de son bureau.

— Pardon, pardon...

Je balaie tout sur mon passage. N'avait qu'à pas se trouver sur mon chemin.

Je frappe, tout essoufflé. Il y a du monde dans le bureau du conseiller. J'entends la voix du directeur. Préoccupé, je m'aperçois à peine qu'ils le sont aussi. Visiblement, mon intrusion dérange, mais le C.E. est gentil.

— Que veux-tu, Romain ?

— Sylvestre est absent !

Je ne l'annonce pas, je le crie.

— Oui, nous nous en occupons. Retourne en récréation.

La voix est ferme, inutile de discuter.

Je balbutie un merci poli et me remets à courir. Faut que je parle à Flore. La voilà qui vient à ma rencontre.

— Que se passe-t-il ? Il est arrivé quelque chose à Sylvestre ? demande-t-elle devant mon air affolé.

Je l'entraîne à l'écart dans la cour, contre un mur. Je réalise que c'est celui contre lequel Sylvestre, le jour où je me suis moqué de lui, s'appuyait. L'heure n'est plus aux secrets, aux serments à tenir. Comme à Chantal, je lui déballe tout. En vrac : les marques, les bleus, les mensonges de Sylvestre, son beau-père... Bref, qu'il est certainement un enfant battu. Flore est abasourdie. Elle en a les larmes aux yeux. Ce genre de situation existe, elle le sait bien, mais dans notre classe ! Un de nos camarades !

— Tu es sûr !

— Oui, il lui est arrivé quelque chose, aujourd'hui.

— Tu as prévenu l'assistante sociale, le conseiller d'éducation ?

— Mais oui ! Ils sont occupés, ils n'ont pas le temps...

Je m'énerve tout seul. Pour moi, hors de question d'attendre ce soir l'intervention de Chantal.

— Allons chez lui. Je sais où il habite.

Moue de Flore :

— Trop dangereux ! On ne sait jamais, si son beau-père y est...

Nous réfléchissons. Il existe bien un numéro vert, on a vu la pub, mais le temps de le chercher...

Soudain, Flore déclare :

— Le mieux, c'est de prévenir la police.

— Ils ne nous croiront pas, ne nous écouteront même pas.

— Allons-y avec Cédric et Nora. À quatre, nous ferons un tel raffut qu'ils seront obligés de nous recevoir.

— Alors, les sixième, on rêve ? La sonnerie a retenti depuis cinq minutes !

Nous n'avons rien entendu. La cour est vide. Les élèves sont rentrés.

Nous nous précipitons. Hélas, le cours d'anglais a déjà commencé, avec Cédric et Nora !

— Si nous entrons pour les chercher, le prof va nous séquestrer.

— Tant pis, nous nous passerons d'eux.

Pour la première fois de notre vie, nous séchons l'école. Un sprint. En quinze minutes, nous sommes au commissariat.

Des commissariats, dans les films, à la télé, on en voit sans arrêt : mitraillette à écrire qui ne vaut pas un clou, inspecteurs allongés dans leur fauteuil, les pieds sur leur bureau, salle d'impatience... Eh bien, dans la réalité, le décor est exactement le même. Dans la réalité, il impressionne drôlement. Les poulets vous donnent plutôt la chair de

poule. Nous nous sentons coupables, tout
à coup. Nos museaux arrivent à peine à la
hauteur du comptoir, comptoir des plain-
tes, lamentations... Je pense à Sylvestre, ras-
semble mon courage.

— Nous venons déclarer une disparition.

Ma voix, dans le bruit du commissariat,
est fluette.

— Une disparition, tiens, tiens !

34

Sourire de l'inspecteur. Il s'imagine peut-être que nous venons pleurer un quelconque minet en fugue. Je raconte. Mes mots s'enchevêtrent, confus, mais l'inspecteur a saisi. Grave tout à coup, il ne sourit plus.

— Bon, je prends votre déposition. Vos noms, prénoms, adresses, téléphones, collège...

Et réexplication.

— Il habite où, votre Sylvestre ?

Il décroche le téléphone, compose un numéro.

— Allô, la brigade des mineurs ?

Brigade des mineurs ! Nous nous regardons avec Flore, inquiets, en nous demandant si, au fond, nous avons bien fait.

*

— Les gamins, je vous raccompagne au collège ?

— Oui, heu, non, non. Ne nous raccompagnez pas, le collège n'est pas loin.

— Nous retournons vraiment au collège ? me demande Flore en sortant.

Je fais la moue. Il est presque midi. La cantine, alors que nous n'avons absolument pas faim. J'ai l'appétit coupé, depuis ce matin.

Nous traînons un peu. Il fait froid.

Flore est aussi inquiète que moi. Je l'embrasserais presque. Bien sûr, je n'ose pas.

— Ça fait longtemps, tu crois, que Sylvestre... ? Je ne réponds pas. Trop de peine. Les gens passent, dans la rue, pressés. Des gens qui ne savent pas, ne se doutent même pas. Nous marchons en silence. Des questions nous brûlent les lèvres, mais nous préférons nous taire. Prononcer certains mots rend la réalité insupportable. Soudain, Flore s'écrie :

— Et si, entre-temps, il était arrivé au collège ?

Un rayon d'espoir dans sa voix. Elle a raison. On ne sait jamais. Je m'agrippe à cette idée. Évidemment, une avalanche de colles s'abattra sur nous si nous avons séché pour rien. Pourvu que nous soyons collés ! Pourvu que nous soyons collés ! Tout un week-end ! Nous accélérons le pas. À ma montre, il est près de deux heures. Vite. L'école buissonnière me pèse, à présent. Je pense aussi à l'inquiétude de Chantal, en ne me voyant pas à la sortie, ce soir.

Je n'en reviens pas. La première personne que j'aperçois devant le bureau du conseiller, c'est elle, ma mère, en compagnie du principal, de l'assistante sociale, du conseiller et de deux types que je ne connais pas. La police ? Ils l'ont prévenue de mon escapade. Je vais me prendre un de ces savons... Flore n'en mène pas large, non plus. Je cherche Sylvestre des yeux, ne le vois pas.

Ma mère m'aperçoit. Un large sourire apparaît sur son visage. Un sourire de soulagement, je la connais.

Je me jette dans ses bras.

— Sylvestre a disparu !

Je ne peux me retenir, j'éclate en sanglots.

— Ne t'inquiète plus, Romain. On l'a trouvé, il est sauvé.

Sauvé ? Il y avait donc de quoi...

Le principal s'approche, imposant, immense.

— Nous avons à te parler, Romain. Rassure-toi, aucun reproche ne te sera fait, bien au contraire. Ces messieurs de la brigade des mineurs ont des questions à te poser.

Brigade des mineurs !

Je les regarde, ahuri. Il y a un gros, l'air bonhomme, et un autre, sérieux, pas rigolo du tout.

— Mais Sylvestre n'a rien fait ! Il n'est pas coupable !

— Nous sommes là pour l'aider.

— Allons dans mon bureau, propose le principal.

Nous le suivons, tous. L'assistante sociale, le conseiller d'éducation, les deux policiers, Chantal et moi.

— Et Flore ?

Pauvre Flore, qui repartait en cours, toute seule.

— Flore aussi.

Qu'elle soit là, avec sa bille de clown, qui ne rit pas pour l'instant, me réconforte.

Brigade des mineurs : ces mots ne me disent rien qui vaille. Leur regard, pourtant, est amical. Celui à l'air bonhomme prend la parole.

— Romain, avant tout, sache-le, tu as très bien fait de prévenir la police.

Regard vers Chantal. Elle me dessine un petit sourire d'approbation.

— Oui, tu as très bien fait, ainsi que Flore, Flore, c'est bien ça ?... Nous avons

besoin de votre témoignage. Pour Sylvestre, c'est très grave.

Je blêmis.

Il se tourne vers Chantal :

— Votre fils était ami, je crois...

Je ne lui laisse pas le temps de continuer.

— Plutôt, oui !

— Bon, alors, écoute bien.

Il s'agenouille auprès de moi. Sa voix est
douce.

— Dans sa famille, Sylvestre est en danger. En danger pour son équilibre. En danger pour sa vie. Nous allons certainement
devoir le retirer de la garde de sa mère et
de son beau-père.

Et il se met à parler, parler. Je n'en reviens
pas : au collège, ils étaient au courant, le
C.E., l'assistante sociale, le principal, Véronique Péridier... Il y a deux mois, l'assistante
avait ouvert une enquête, averti le procu-
reur de la République, la D.D.A.S.S... Et ce
matin, lors de mon irruption dans le bureau,
ils étaient en train de prévenir la brigade des
mineurs.

Enfance maltraitée, victime, sévices,
parents bourreaux... Les mots martèlent
ma tête. Me font mal. Mal. Un juge pour

enfants va intervenir, il y aura un procès.

— C'est très important, Romain. T'a-t-il confié que sa mère ou son beau-père le battait ?

— Oui, enfin non, mais j'ai vu les marques.

Je ne tiens plus.

— Où est-il ?

J'ai le cœur qui bat à tout rompre.

Le commissaire me prend le bras.

— À l'hôpital, mais il n'a rien de grave. Enfin, nous l'espérons. Il est en observation.

Je me dégage.

— Je veux le voir.

— Bien sûr, tu le verras. Il a besoin de toi. Mais aujourd'hui, c'est impossible. Tu nous racontes un peu ?

Regard encourageant de ma mère. Avec Flore, je raconte, je dis tout ce que je sais. Tout ce que je sais de Sylvestre, mon ami Sylvestre.

*

Flore et moi, nous mettons Cédric et Nora au courant. Nous nous posons plein de questions. Des questions qui m'angoissent encore plus.

Après cette journée, je suis fatigué, fatigué. Heureusement, Bébé Chat est là, ce soir, qui me distrait de mes pensées. Chantal s'assoit au bord de mon lit, pour répondre à mes questions.

— Sylvestre va avoir un juge pour enfants ?

— Oui, puisqu'il y aura un procès.

— Mais il n'a rien fait de mal ! Pourquoi va-t-on le juger ?

— Un juge pour enfants, tu sais, protège plutôt les enfants, surtout dans ces cas-là. Sylvestre aura, aussi, un avocat. Depuis peu, les enfants ont des avocats pour les défendre.

— Les défendre contre... leurs parents.

— Oui.

Silence. La vie, c'est dur, parfois. Ça fait mal. Et les adultes, avec leurs mots, sont bizarres : juge pour enfants alors que ce sont les parents qui sont jugés, brigade des mineurs alors que souvent les fautifs sont majeurs...

Soudain, une petite phrase du commissaire s'engouffre dans mon esprit. Énorme. Gigantesque. Effrayante. Le commissaire m'a demandé texto : « T'a-t-il confié si sa mère ou son beau-père le battait ? »

SA MÈRE. Je n'ai pas dû bien comprendre. Ma voix est presque imperceptible.

La réponse de Chantal me vieillit d'au moins mille ans.

Je refuse de le croire.

— Cela arrive, Loumpi. L'enquête le dira. Le procès décidera si elle est coupable de sévices ou de non-assistance à personne en danger.

Tous ces mots sont nouveaux pour moi, mais je comprends : elle n'a jamais rien fait pour le défendre. Au contraire, peut-être. Je suis hors de moi.

Comment une mère peut-elle ?... Pourquoi ? Pourquoi ?

— Ce n'est pas à nous de juger, Romain. Elle est certainement très malheureuse.

— Ils iront en prison, j'espère. Ils seront punis. Que va-t-il devenir, maintenant ?

J'ai le cœur gros.

— L'assistante sociale va s'occuper de lui. Il a certainement de la famille pour l'accueillir, des grands-parents, des cousins...

De la famille ? Sylvestre va se retrouver tout seul, oui ! Sans père. Sans mère. Voilà ce que je comprends.

Dans la lumière tamisée de la lampe, le visage de Chantal se profile, caressant. Je l'aime tant ce visage.

LA VIE EST INJUSTE.

*

— Sylvestre va rester une semaine à l'hôpital pour passer des radios, se reposer, nous a annoncé le C.E. Mais ce soir, les visites sont permises.

Et nous voilà dans ce couloir qui n'en finit pas de sentir les médicaments. Nous : Flore, Cédric et moi. J'aurais pu, bien sûr, venir seul mais j'ai envie qu'il sache qu'il a de nouveaux amis. Et puis, bien que fils d'infirmière, je redoute l'ambiance, les malades, son état...

Mon cœur panique. Portes blanches, entrouvertes, de part et d'autre. Les malades s'ennuient dans leur lit.

En moi, toujours cette question : Pourquoi ? Pourquoi ? Chambre 11. Nous y sommes. Flore tient un petit bouquet à la main. Des pâquerettes, comme des petits soleils pour réchauffer le cœur de Sylvestre.

Il est là, dans son lit, la tête sur l'oreiller. Nous avons un choc. Son visage, tuméfié, est tout bleu. Un jour, j'ai suivi un reportage sur le métier des mineurs, avec leurs visages recouverts de suie. Le visage de Sylvestre est celui d'un mineur, avec ses grands yeux qui sont plus beaux encore. J'avale ma salive. Son regard se pose sur moi. Dans ce regard-là, une lueur, comme le jour de la rédaction. Ma gorge est sèche. J'ai du mal à lui sourire tant il fait peine à voir.

Oh ! La visite est courte. Nous avons juste le temps de lui dire qu'il nous manque, l'infirmière est déjà là :

— Vous reviendrez demain...

Nous revoilà dans le couloir.

— Et le bouquet ? s'écrie Flore.

Trop émue, elle a oublié de lui offrir.

Petit bouquet qui nous paraît bien pâle, tout à coup.

*

À notre demande, Véronique Péridier nous fait un cours sur les droits de l'enfant. Elle nous a apporté la Convention internationale des droits de l'enfant et nous l'avons affichée dans le hall. « Tout enfant doit savoir que son corps est à lui, tout adulte doit le respecter. Personne ne peut l'acheter, le vendre, lui faire subir des violences. Personne, pas même son père ou sa mère. » Dans de nombreux pays, Colombie, Argentine, Brésil, Inde, Philippines... les droits des enfants sont totalement bafoués. Dès l'âge de cinq-six ans, on les force à travailler dans des conditions inhumaines. Pour Sylvestre, elle dit comme Chantal : la D.D.A.S.S. s'occupe de lui. La brigade des mineurs, le médecin de l'hôpital vont rédiger un rapport. Le juge des enfants est déjà saisi de l'affaire...

Que va-t-il devenir ?

*

Aujourd'hui, je lui rends visite seul. Mon jeu électronique sous le bras, je me sens petit, si petit, dans cet hôpital immense.

Il a l'air un peu reposé.

Je dépose le jeu sur son lit.

— Pour te distraire.

Puis très vite, j'ajoute :

— Tu ne m'en veux pas, dis, j'avais juré...

Depuis le premier jour, cette histoire de serment me turlupine.

Pour toute réponse, un faible sourire. Mais un vrai sourire. Un sourire ami, empli de confiance.

Nous sommes bien ensemble, maintenant.

Cédric, Nora, Flore et moi allons le voir à tour de rôle. Il est triste mais son visage s'illumine à chacune de nos visites.

*

— C'est un vrai clown, ta Flore. À midi, elle a renversé le vase de fleurs. Si tu avais vu ses mimiques faussement désolées. Je ne te raconte pas l'énervement des infirmières.

Sacrée Flore ! Elle est bien capable de l'avoir fait exprès. Juste pour le faire rire.

J'aimerais beaucoup que Filou et Chantal fassent sa connaissance. Eux aussi. Pour l'instant, il ne vaut peut-être mieux pas. Je crains qu'il n'ait de la peine en voyant les miens.

*

La nuit, parfois encore, je me réveille en sursaut. Seul à l'hôpital, il doit faire des cauchemars.

Je préfère ne pas trop y penser.

*

Véronique Péridier lui a rendu visite, entre deux cours. Avec une tonne de livres du C.D.I. et une boîte de chocolats, large comme un pupitre. S'il n'attrape pas une crise de foie, son petit poète !

Marianne, l'assistante sociale, elle aussi est venue discuter avec lui.

*

Aujourd'hui, je décide d'aller la voir, à sa permanence. Toc. Toc.

— Ah, bonjour, Romain.

Elle m'intimide, mais elle est gentille.

— J'attendais un peu ta visite...

Je la bombarde de questions. Elle me répond doucement, en prenant son temps. Tout cela est si difficile.

« Non, il n'a pratiquement pas de famille. Seulement une tante, à Nancy, mais qui ne peut le prendre en charge. »

« Oui, elle va venir le voir. »

« Non, sa petite sœur, Laetitia, n'était pas brutalisée, au contraire, elle était même plutôt chouchoutée... Elle ira chez sa tante, en attendant. »

50

En attendant quoi ? La décision du juge, l'issue du procès ? Difficile de savoir...

Il y a tant de choses qu'ils (les adultes) ne savent pas ou ne peuvent pas me dire : depuis combien de mois, d'années, Sylvestre souffre-t-il en silence ? Sa mère a fui Nancy précisément parce que l'assistante sociale du collège de Sylvestre avait, déjà, découvert...

Seul défaut de Sylvestre : peut-être ressembler trop à son père !

— Ils n'ont aucune excuse.

Ma phrase tombe comme un couperet. Je parle en juge. En juge pour adultes.

Elle n'essaie pas de freiner ma révolte.

Une chose est sûre : après l'hôpital, Sylvestre ne retournera pas vivre avec sa mère. Le juge, saisi d'urgence, va prononcer une « ordonnance de placement provisoire ». Cela signifie qu'en attendant d'être jugée, sa mère n'a plus la garde de Sylvestre. Il sera même certainement décidé qu'il ne vivra plus jamais avec elle. Marianne appelle cela « être déchue de l'autorité parentale ». Ces mots sont compliqués.

— Dans un foyer, le plus près possible du collège. Il n'y a pas d'autre solution.

« Ils » sont en train de s'en occuper. Elle m'explique : le foyer est une sorte de centre où vivent ensemble les enfants orphelins ou ceux qui ont des problèmes avec leurs parents. Parfois, ils y sont plus heureux que dans leur famille.

Sylvestre, c'est mon ami. Je ne veux pas qu'il aille dans un foyer, qu'il se retrouve abandonné dans un centre.

Marianne m'explique doucement qu'il restera marqué, qu'il est des bleus qui ne s'effacent pas.

Et des vides qui ne se remplissent pas.

La vie sans parents !

Foyer. Foyer. Foyer. Le mot résonne dans ma tête. Je ne peux m'y résoudre. Je ne veux pas.

Soudain, j'ai une idée. Une idée toute simple. Pourquoi ne viendrait-il pas ?... Sûr, Chantal et Filou seront d'accord, je les connais.

Je me confie à Flore.

— Bien sûr, ce serait super !

Ça oui, ce serait super.

J'imagine déjà nos deux lits superposés dans ma chambre, le trajet, ensemble, pour aller au collège, les devoirs, bien plus faciles à deux... Chantal lui trouvera un petit surnom, Filou le fera rire...

Il sort dans trois jours. Faut faire vite. Ce soir, je leur en parle.

D'abord, ma petite visite quotidienne.

*

— J'ai reconnu ton pas, dans le couloir.

Il m'attend, mignon tout plein dans son pyjama vert.

— C'est ma tante qui me l'a offert. Elle a fait l'aller et retour dans la journée pour me voir.

Depuis l'hôpital, j'ai essayé de ne pas aborder le problème mais aujourd'hui, la question fuse.

— Tu n'en avais jamais parlé à personne ?

Je le lui demande doucement pour le laisser libre de ne pas répondre. Mais il me répond et ça me réchauffe le cœur : il a confiance en moi, maintenant.

— Non, je ne voulais pas qu'on fasse du mal à ma mère.

Je ne dis rien.

— J'en avais quand même parlé à quelqu'un.

— ...

— Au souricureuil.

— Au souricureuil ?

— Oui, tu sais, dans ma rédac, l'ami qui ne ressemble à aucun autre, en réalité, je ne l'ai pas inventé. Il existe vraiment. C'est le souricureuil. À lui, je raconte tout.

— ...

— Mais oui ! Tu ne connais pas l'histoire du souricureuil ?

Il est tout étonné de mon ignorance.

Je crois aussi qu'il a besoin de chasser certaines images de sa tête. Je l'aide.

— Tu me racontes ?

Son visage s'éclaire.

— Je l'ai étudiée en classe de CE 2, à Nancy. Le souricureuil est un tout petit animal avec une tête de souris, une queue d'écureuil et à qui on peut tout confier. Il est magicien. Il a découvert une cachette secrète où se fabriquent des milliers de billets de banque. Avec ces billets, il m'a promis de construire, un jour, une magnifique maison pour ma mère, ma sœur et moi. Il retrouvera mon père et le convaincra de revenir.

Large sourire. Ses yeux pétillent.

— Et puis, il nous emmènera tous en voyage dans les îles du ciel, et...

Le voilà parti. Il ne s'arrête plus.

Heureusement, il a gardé, malgré tout, son âme d'enfant, comme disent les adultes.

Sûr. Quel ami, ce souricureuil ! Et quel magicien, qui sait transformer les larmes en perles de rêve !

Bébé Chat me regarde, soupçonneux. Les propositions que je fais ce soir — moi qui suis plutôt paresseux — lui paraissent suspectes. Je suis prêt à tout pour que Sylvestre vienne vivre chez nous.

— Si vous craignez d'avoir du travail en plus, je ferai la vaisselle, les lits, je mettrai la table, passerai l'aspirateur...

— Tu nettoieras les carreaux, laveras le linge, astiqueras les meubles, cireras les chaussures, arroseras les fleurs, répareras l'ascenseur et même, entretiendras le jardin public, en bas, récite ma mère.

Filou éclate de rire.

— Quel mignon petit esclave nous avons là...

Ronronnement de moquerie de Bébé Chat, dans son coin.

— Je suis sérieux, pourquoi ne vivrait-il pas avec nous ?

J'insiste.

— Le problème n'est pas là, Romain. A priori, nous ne serions pas contre. Mais ce n'est pas si simple. Il faut d'abord l'accord de sa mère, le sien aussi. Ensuite, c'est à la D.D.A.S.S. de décider si Sylvestre doit aller dans une famille d'accueil. Il faut faire une demande, remplir un dossier pour être famille d'accueil. Cela prend des mois, des années, et on ne choisit pas l'enfant que l'on accueille. Tu comprends ?

Non. Je ne comprends pas. Je comprends seulement que dans trois jours Sylvestre sort de l'hôpital. Dans trois jours, il se retrouvera dans un foyer.

*

Têtu, je retourne voir Marianne.

— Impossible !

Elle est catégorique. Question de temps. Question d'âge. Sylvestre est trop grand, paraît-il.

— Ne t'inquiète pas. Cela se passera bien pour lui au foyer.

Non, je m'en fais.

*

Dans la chambre 11, les rires fusent. Flore, pour ne pas changer, fait le pitre. Elle dériderait un régiment de « mornes-bilieux-grognons-hypocondres ».

Une infirmière entre, furieuse.

— Hé, « la loustic », ce n'est pas un peu fini, ce cirque ? Les malades dorment.

« La loustic » s'arrête net mais n'arrive pas à stopper l'alarme du jeu électronique qu'elle a déclenchée. Ça hurle. Heureusement, Cédric est plus habile.

C'est vrai, nous dérangeons tout le monde. Mais nous sommes tellement heureux de voir Sylvestre éclater de rire.

*

J'ai déniché les deux dans une boutique, sur les quais. Tout mon argent de Noël y est passé. En plus, j'ai dû taxer Bébé Chat.

Il fait beau, dehors. De ses rayons, le soleil taquine les barreaux des cages et ça fait rire les oiseaux. Ça pépie, ça roucoule, ça gazouille de partout. Le mainate est toujours aussi gâteux, et les poissons, dans leur aquarium, s'éclatent avec leur nouvelle danse : « le t'chat-t'chat ». Ça sent bon la violette, le lilas.

Maintenant que je les ai, je sifflote à tue-tête.

58

— Oui, oui, ils feront bon ménage, m'a assuré le marchand.

J'en ai un, blotti dans la poche intérieure de mon blouson. Je sens son petit cœur qui palpite. L'autre, emmitouflé dans ma manche, me chatouille. Pas facile pour prendre le métro. Heureusement, j'ai mis le reste dans mon sac à dos. Pour son dernier jour à l'hôpital, avec ma surprise, je vais épater Sylvestre.

*

— Cédric vient juste de passer et, à midi, Flore m'a apporté des cours. Je dois rattraper mon retard.

Sûr, il passera en cinquième. J'en connais une qui défendra son petit poète.

Il remarque mon sac à dos, bien lourd, m'interroge du regard.

Je déballe : jolie cage verte, avec un « coin sieste », sac de graines de tournesol, diverses gourmandises...

Son regard est de plus en plus intrigué.

Le long de mon bras, sous le tissu, une minuscule boule déboule jusqu'à... la sortie « du tunnel de la manche ». Soudain, une petite tête blanche : yeux vifs, moustaches...

— Une souris ? ! s'exclame-t-il.

Son visage rayonne. Déjà dans ses mains, elle furète, inspecte.

Je descends la fermeture Éclair de mon blouson. Sûr de mon effet, je joue un peu au magicien, et... rien ne vient.

— Allons, allons, je chuchote à l'intérieur de mon blouson, tu me fais rater mon numéro.

Délicatement, j'attrape une minuscule peluche. Il n'en croit pas ses yeux.

— Un écureuil de Corée !

Oui, avec une magnifique queue rousse.

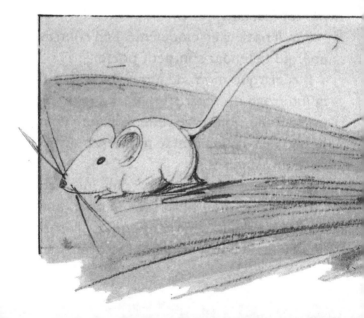

Je m'écrie :

— Et mon tout est un souricureuil !

Jamais, jamais, je ne l'ai vu aussi heureux.

— Ils s'apprivoisent très vite, paraît-il. La cage, c'est pour ne pas avoir d'histoires avec le foyer.

— Oh, avec un souricureuil, il arrive toujours des histoires, de drôles d'histoires.

Il s'adresse à l'écureuil,

— Eh bien, Toufie,

se tourne vers la souris,

— Et Toufette, je vous présente mon ami Romain.

Rapide pour trouver des noms, Sylvestre.

Ce soir, pas de tristesse dans ses yeux.

Postés à l'entrée du collège, nous l'atten-
dons pour qu'il nous raconte sa première
nuit au foyer. Le voilà, souple dans son jean
et ses tennis.

— Alors ?

— Alors... rien. On s'y fait. Je ne suis pas
seul, vous savez.

Il n'en dit pas plus. En fait, le foyer ne doit
pas être spécialement moche. Seulement,
c'est un endroit sans parents, voilà tout.

*

Sylvestre est à nouveau en classe parmi
nous. Il ne sera jamais plus le redoublant,
mais Sylvestre, notre ami.

Et la vie continue. Forcément. Aux récréations, il joue avec nous. A-t-il des nouvelles de sa mère ? Lui manque-t-elle ? Nous n'en parlons pas. C'est peut-être mieux ainsi.

Sa petite sœur lui envoie des dessins. Avec sa tante, à Pâques, elle viendra le voir.

Mars. Avril. Les mois passent. J'ai de la peine, chaque soir, de le quitter devant son foyer, chaque week-end, de l'abandonner. Il m'affirme qu'il ne s'y ennuie pas. Je n'en suis pas si sûr. Le foyer, c'est la vie en communauté. Tu n'es jamais seul et, pourtant, tu souffres de solitude.

*

— Romain...

— Oui ?

— Filou et moi avons une grande nouvelle à t'annoncer...

Ouille, ouille, ouille ! Le ton solennel de Chantal présage la layette, les soirées de baby-sitting... Coup d'œil à la taille de ma mère. Elle n'a pas grossi. Ils s'y prennent à l'avance pour m'apprendre le petit frère ou la petite sœur.

— Nous ne t'en avons pas parlé plus tôt car nous voulions en être sûrs. Prépare-toi à accueillir...

— Oh ! J'ai compris, un deuxième Bébé Chat.

Filou s'étrangle de rire.

— Mais non, s'exclame Chantal. À accueillir... Sylvestre.

Sylvestre ? Mes yeux sont ronds. Deux vrais calots.

— Mais, je croyais que c'était impossible...

— Oui. Il ne peut pas venir en permanence avec nous. Mais nous avons fait une demande pour l'accueillir le week-end et durant les vacances. Nous venons juste d'avoir la réponse. Notre dossier est accepté.

Quels cachottiers ! Je n'attends pas la suite. Je saute dans leurs bras.

*

Chez Ikea, aujourd'hui, nous avons choisi le lit superposé. Puis, j'ai arrangé la chambre.

Le week-end prochain, il sera avec nous.

Ce vendredi soir n'est pas un vendredi soir comme les autres. Ce week-end ne sera pas ordinaire.

Sylvestre trottine à mes côtés, avec son sac à dos. Il a déjà rencontré mes parents, bien sûr, mais je le sens un peu inquiet.

La porte s'ouvre.

En guise d'accueil, Bébé Chat a préparé son plus beau ronronnement.

Sylvestre est un peu intimidé. Chantal l'embrasse.

— Bonjour, dit-elle. Bonjour... Cookies !

Voilà, elle lui a déniché un petit surnom. Il faut reconnaître, yeux chocolat, cheveux caramel, il lui va comme un gant.

— Cookies, Cookies, Cookies..., se met à miauler à tue-tête Bébé Chat.

Filou le saisit par la peau du cou, le hisse sur ses épaules. Fier comme tout, là-haut, il nous domine. On dirait un guide sur son chameau. D'ailleurs, Filou annonce :

— Pour la visite de l'appartement, suivez les guides.

Il est en forme. La soirée ne va pas être morne.

Nous sommes contents que tu sois avec nous, Cookies. Avec ma famille, crois-moi,

tu n'es pas près de rentrer dans ta...
« cookille ».

*

Chaque vendredi soir, désormais, le retour collège-maison, nous le faisons ensemble. Lui, avec son sac à dos orange.

Chaque lundi matin, évidemment, il le ramène pour le foyer.

— Le vendredi revient vite, me dit-il pour me consoler.

*

— Je ne veux plus de Toufette et Toufie ici, décrète Chantal.

— Pourquoi ? demande Bébé Chat.

— Ils mangent toutes les provisions de biscuits. Avec l'emballage, en plus.

— Impossible ! répond Chaton.

Chantal le regarde.

— Alors, il y a un autre petit animal, dans cette maison, suggère-t-elle. Un drôle d'animal, gourmand de cookies, particulièrement le lundi matin. Si je l'attrape...

Elle attrape... Bébé Chat, qui fait l'innocent, et le couvre de bisous.

Je souris. Filou aussi. Depuis un mois que nous recevons Sylvestre le week-end, Bébé Chat, en cachette, fait une razzia sur les cookies du placard et les glisse discrètement dans le sac à dos orange.

Sacré Bébé Chat ! Il n'y en a pas deux comme toi. Heureusement !

*

Sylvestre vient d'éteindre la lumière. Aujourd'hui, avec ses super-plongeons, à la piscine, il a épaté Flore, Cédric, Nora... tous les copains. Il pétillait de vie. Le soleil du mois de juin a imprimé des taches de rousseur sur son visage. On dirait des notes de sourire.

J'ai chaud au cœur.

Les vacances, cet été, il les passera avec Bébé Chat et moi, chez mes grands-parents, à la campagne.

Les balades à vélo, les baignades dans le ruisseau, les pêches, chipées au bord des champs, mûres à point, dont le jus dégouline le long des bras, la fête au village, les goûters de grosses tartines beurrées, dans la tiédeur du soir, les crêpes, accompagnées de cidre frais... mes grands-parents, avec nous, plus jeunes que jamais. Le temps au ralenti... qui passe à toute allure. Et la dernière semaine, la plus belle : Chantal et Filou nous rejoignent.

Dans le noir, je le devine perdu aussi dans ses pensées. J'entends sa respiration.

Petit bruit. Remue-ménage. Toufette et Toufie, dans leur coin, s'enroulent pour la nuit. Blottis l'un contre l'autre, ils ne font qu'un.

Dans le silence de la chambre, sa voix est un chuchotement.

— Ma mère, au fond, je crois qu'elle ne m'aime pas.

Je ne sais que répondre. C'est peut-être vrai. Peut-être pas. Ce n'est pas à moi de... D'ailleurs, il n'attend pas réellement une réponse.

— Dors, lui dis-je doucement.

Enfin, son souffle régulier. Il s'est endormi. Un sourire aux lèvres, j'en suis sûr.

Un sourire aux lèvres, il rêve.

Il rêve au retour de sa mère, aux retrouvailles avec son père, à la maison du souricureuil, à nous, peut-être, à sa nouvelle vie...

Il rêve, abandonnant pour la nuit ses souvenirs qui l'obsèdent, ce doute qui le ronge.

*

Je sais. Il est des bleus qui ne s'effacent jamais. Mais, ensemble, sur le rayon de soleil de l'amitié, je ferai tout mon possible, petit poète, pour t'aider à oublier. Je te le promets.

Oublier. Moi aussi, je me mets à rêver.

Des livres plein les poches, **POCKET** *jeunesse* des histoires plein la tête

Des histoires **Merveilleuses**

Des histoires **pour rire**

Des histoires **d'Animaux**

Des histoires **fantastiques**

Des histoires **de la vie**

Des histoires **qui font peur**

Des histoires **policières**

Des histoires Merveilleuses

Le chien qui a vu Dieu
Dino Buzzati

Le boulanger est furieux. Pour toucher l'héritage de son oncle, il doit fournir chaque matin cinquante kilos de pain aux pauvres de la ville. Il enrage de devoir donner ce qu'il pourrait vendre ! Mais un beau matin, c'est un chien qui vient chercher son pain...

Le secret du roi des serpents et autres contes
Jean-François Deniau

Sais-tu qu'on peut devenir roi en apprenant le langage des animaux ? Que le bonheur peut surgir à l'improviste par une nuit d'orage ? Et qu'il est tout à fait possible de battre le diable à une partie de poker ?

Moumine le Troll
L'été dramatique de Moumine
Un hiver dans la vallée de Moumine
Tove Jansson

Regard pétillant, petites oreilles, gros museau et courtes pattes : Moumine est le plus célèbre troll du monde entier. Il s'émerveille d'un rien et transforme chaque instant en aventure.

Le chien du roi Arthur
Odile Weulersse

Au pays de Galles en l'an de grâce 517, Oscar plonge à travers la lande en chantant. Ce fils d'un humble berger rencontrera-t-il la bonne et belle aventure qui lui permettra de réaliser son vœu le plus cher : devenir chevalier de la Table Ronde ?

Des histoires pour rire

Chichois de la rue des Mauvestis
Chichois et les copains du globe
Chichois et la rigolade
Chichois et les histoires de France
Chichois et les troubadours
Nicole Ciravégna

Un papa rieur, une maman jolie comme un cœur, une mamie toute douce et mémé Za, une arrière-grand-mère qui, à elle seule, vaut le spectacle... Au pays du soleil et du mistral, Chichois est le plus heureux et le plus rigolard des enfants de Marseille.

Un ordinateur pas ordinaire
Michèle Kahn

En attendant la naissance de son petit frère, Frank est envoyé chez oncle Pierre et grand-père Babbi. Il trouve leur maison en pleine révolution. Désormais, c'est Tetaclac, l'ordinateur de Pierre, qui dirige tout, à sa façon. Et cela crée des situations vraiment pas ordinaires !

Zorro Circus
Jo Pestum

En ce jour de fureur, Paul regretterait presque d'être né : il se fâche avec son meilleur ami, se brouille avec la fille qu'il aime et rate son devoir d'anglais. Paul craque et s'enfuit à bicyclette. Il rencontre alors un mystérieux garçon masqué qui l'entraîne dans un projet fou, fou, fou...

Un troll dans mes croquettes
Ursel Scheffler

Maxime n'a pas le moral. Ses parents viennent de divorcer, l'école ne marche pas fort, il est plutôt timide et n'a presque pas d'amis. Un soir, pourtant, un drôle de petit bonhomme débarque dans sa vie, sans prévenir...

Des histoires d'Animaux

Le corbeau d'Arabelle
Joan Aiken

Le jour où le papa d'Arabelle sauve un corbeau renversé par une moto, il ne se doute pas des catastrophes que cet oiseau glouton et impertinent va déclencher. Mortimer, c'est son nom, mange tout dans la maison, même les marches d'escalier. Mais il y a pire : un jour, il est impliqué dans un vol de bijou.

Langue de chat
Jean-Noël Blanc

« Explosifs. Magasin. Victimes », répète d'une voix distincte Moustache, le chat de Jérémie. Les adultes ne veulent rien entendre. Moustache, lui, s'épuise à parler. Qui sait s'il n'est pas déjà en train de mourir ? Jérémie doit tout faire pour éviter ça.

Charlotte Parlotte
Michael Bond

Karen sait que son cochon d'Inde est un insatiable gourmand. Ce qu'elle ignore, c'est que Charlotte Parlotte — tel est son nom — est aussi une intarissable bavarde qui raconte tout et n'importe quoi à ses amis Noël et Fangio le hérisson.

Un amour de Charlotte
Michael Bond

On le sait, Charlotte Parlotte adore raconter des tas d'histoires. Mais quand elle rencontre Boris dans son château, elle trouve son maître. Ce cochon d'Inde invente vraiment n'importe quoi pour la séduire. Et il faut dire que Charlotte lui trouve un certain charme...

Akita
Bernard Clavel

Akita, chien fidèle et heureux, est enlevé par des voleurs. Enfermé dans un chenil où il est maltraité, il n'a qu'une idée en tête : retrouver ses maîtres. Akita parvient à s'échapper et marche jusqu'à l'épuisement. Lorsqu'il arrive enfin chez les siens, il s'aperçoit qu'un autre chien a pris sa place.

Des histoires fantastiques

La planète des singes
Pierre Boulle

Y a-t-il des êtres humains ailleurs que dans notre galaxie ? se demandent le professeur Antelle, Arthur Levain et Ulysse Mérou en observant, de leur vaisseau spatial, le paysage d'une planète curieusement semblable à celui de notre Terre. Après s'y être posés, les trois hommes découvrent qu'elle a de drôles d'habitants : c'est la planète des singes.

Embrasse-moi, crapaud !
Bruce Coville

Pourchassée par des filles de sa classe, Jennifer atterrit dans une étrange boutique. Là, elle achète à un vieil homme bizarre un crapaud nommé Bufo. Lui non plus n'est pas ordinaire : il parle ! Mais voilà qu'il fait mieux. D'un baiser vengeur, il change Sarah, l'ennemie de Jennifer, en crapaud.

Mon prof est un extraterrestre
Bruce Coville

Une discipline d'enfer, des récréations sinistres. C'est la vie quotidienne de tous les élèves de CM2 depuis l'arrivée de M. Smith, le nouveau professeur. Susan déteste cet homme d'une dureté implacable. Mais un jour, elle découvre que M. Smith ne s'appelle pas Monsieur Smith.

Grakker a mangé mon devoir de maths
Bruce Coville

Rod, douze ans, ne sait pas mentir. Aussi, lorsque la prof de maths lui demande où est son devoir, il répond que les extraterrestres l'ont mangé ! Personne ne le croit. C'est pourtant la stricte vérité : des petits hommes verts dévoreurs de papier ont bien atterri dans sa chambre la veille au soir...

L'attaque du Cybervirus
Terrance Dicks

Un virus s'est introduit dans le système informatique de la ville. Zak, champion de jeux vidéo sur ordinateur, est contacté par le Chercheur, l'inventeur du Jeu Suprême : pour lui, Zak est le seul capable de venir à bout de ce virus, issu du cyberespace, et qui est en train de semer la pagaille dans le monde réel.

Des histoires de la vie

Toufdepoil
Claude Gutman

Sa maman partie, Bastien a dû apprendre à vivre seul avec son papa et Touf-depoil, son chien, son meilleur ami. Mais soudain tout est remis en question. Belle-Doche s'installe à la maison et déclare la guerre à Toufdepoil. « C'est lui ou moi. » Bastien prend peur. Son père est tout à fait capable de céder au chantage et de se débarrasser de son Toufdepoil.

Et de six avec Clara !
Peter Härtling

La maison des Scheurer ressemble à une boîte à chaussures, tout juste assez grande pour les cinq membres de la famille. Papa l'appelle aussi « le château de cartes », car il y a toujours quelque chose qui s'écroule ! Un jour, Maman annonce à ses trois enfants qu'ils vont devoir faire de la place à une petite sœur.

La balafre
Jean-Claude Mourlevat

Olivier, treize ans, vient d'emménager à La Goupil, un hameau perdu. Un soir, l'adolescent est attaqué par le chien des voisins qui se jette sur la grille avec une rage terrifiante. Ses parents pensent qu'il a rêvé, car la maison est abandonnée depuis des années. Olivier est le seul à croire à l'existence de l'animal, le seul à voir une petite fille jouer avec ce chien. Obsédé par ces apparitions fantomatiques, Olivier veut comprendre.

Feux de détresse
Pef

À cause de notre chatte Lilas on ne s'arrête jamais en chemin. Jamais de panne, jamais d'essence à prendre, jamais soif, jamais envie de pipi... Mais un jour on a crevé. J'ai cru que la route allait rentrer dans mon siège. On s'est arrêté... Et tout a commencé !

L'œil du loup
Daniel Pennac

Dans un zoo, un enfant et un vieux loup borgne se fixent, œil dans l'œil. Toute la vie du loup défile au fond de son œil : une vie sauvage en Alaska, une espèce menacée par les hommes. L'œil de l'enfant raconte la vie d'un petit Africain qui a parcouru toute l'Afrique pour survivre, et qui possède un don précieux : celui de conter des histoires qui font rire et rêver...

Des histoires qui font peur

Le monstre du jardin
Vivien Alcock

Frankie Stein se sent bien isolée au sein de sa famille. Sa mère est morte, son père n'a pas l'air de la voir, son frère la dédaigne. Aussi reporte-t-elle toute son affection sur la drôle de créature qu'elle a involontairement fabriquée à partir d'une éprouvette et qu'elle cache dans le jardin.

Bon sang, le prof est un vampire !
Jerry Piasecki

Bizarre, ce Maître Vic, le nouveau prof des CM2 ! Il est le seul enseignant à porter une cape noire. Il ne sourit jamais, fait cours à la lueur des bougies et a prévenu ses élèves : « Jamais d'ail dans la classe ! Et, surtout, jamais, JAMAIS de miroirs ! »

Bon sang, ils vont manger Laura !
Jerry Piasecki

Laura a été enlevée par l'ex-fiancée de Maître Vic. Cette dernière a décidé de la servir comme dessert au banquet annuel des vampires. Mais il n'est pas question que Maître Vic, invité au festin, mange une de ses élèves !

Minuit, heure de l'horreur
J.B. Stamper

Il serait plus prudent de ne lire ces treize histoires que le jour : on n'y rencontre que spectre, loup-garou, mort vivant, créature de cauchemar et vampire. Alors, un conseil : avant d'attaquer l'histoire suivante, veillez à reprendre votre souffle.

Encore de l'horreur, quelle horreur !
J.B. Stamper

Minuit sonne. Dans son berceau, Nicolas, le bébé vampire, guette sa baby-sitter. Seule dans la nouvelle maison, Jenny hurle au moment où les bras de la femme sans tête se tendent pour l'attraper... Cognant aux carreaux, la colombe blanche roucoule son chant fou aux oreilles de sa victime... Tout cela finira très mal !

Des histoires policières

Les collégiens mènent l'enquête
Chrystine Brouillet

Alexandra, jeune Québécoise, vient d'arriver en France. À l'école, elle rencontre Antoine, Gabriel et Too-Hi-Li. Il se passe des choses étranges autour d'eux et le professeur de chimie a un comportement vraiment bizarre. Intrigués, les quatre amis décident de l'espionner.

Gare au carnage, Amédée Petipotage !
Jean-Loup Craipeau

Je m'appelle Amédée Petipotage. Un nom à coucher dehors. Pourtant, moi, j'habite chez mes parents. C'est Clodo, mon copain, qui dort dehors, à la belle étoile. Son dîner, il le cherche dans les poubelles. Et c'est comme cela que tout a commencé.

Paolo Solo
Thierry Jonquet

Grelottant de froid, Paolo, le petit Brésilien, erre dans Paris, seul, sans papier, sans argent. Comment a-t-il atterri si loin de son pays ? Pourquoi Kurt la crapule et sa complice Mélissa sont-ils à ses trousses ? Et quel terrible secret l'empêche donc de se réfugier auprès de la police ?

La cavale irlandaise
Walter Macken

Pour échapper à la brutalité de leur tuteur, deux enfants traversent l'Irlande dans l'espoir de rejoindre leur grand-mère. Ils font la une des journaux, sont poursuivis par la police et ne devront leur survie qu'à leur courage et leur ténacité. Parviendront-ils à retrouver un vrai foyer ?

Le cri du livre
Carole Martinez

Noé est dans une colère noire : bien qu'il ait treize ans, ses parents l'ont jugé trop jeune pour partir en vacances avec ses copains. Dépité, il s'enferme dans sa chambre, puis braque son télescope sur le village. Il observe l'arrivée d'une petite Parisienne dont le regard se fige tout à coup : un crime se déroule sous leurs yeux...

Achevé d'imprimer
par Maury-Eurolivres S.A.
45300 Manchecourt

Dépôt légal : janvier 1998.

 12, avenue d'Italie • 75627 PARIS Cedex 13

Tél. : 01.44.16.05.00